Ym 1964 enillodd y llyfr hwn Fedal Caldecott, a roddir gan Gymdeithas Llyfrgelloedd America am lyfr lluniau gorau'r flwyddyn i blant.

Ym 1970 enillodd Maurice Sendak Fedal Arlunio Hans Christian Andersen, yr anrhydedd uchaf ym maes arlunio llyfrau plant.

Cydnabyddir *Yng Ngwlad y Pethau Gwyllt* trwy'r byd fel un o'r clasuron pennaf ar gyfer plant.

Y noson y gwisgodd Max fel blaidd a dechrau gwneud drygau
o bob math –
"PAID Â BOD MOR WYLLT!" gwaeddodd ei fam …

Cyhoeddwyd gan Wasg y Dref Wen,
28 Heol yr Eglwys, Yr Eglwys Newydd, Caerdydd CF14 2EA.
Cyhoeddwyd gyntaf yn Saesneg yn UDA gan Harper and Row 1963,
dan y teitl *Where the wild things are*.
Cyhoeddiad Cymraeg cyntaf 1988. Adargraffiad 2013.

Cyhoeddwyd gyda chymorth ariannol Cyngor Llyfrau Cymru.

Argraffwyd yn China.

YNG NGWLAD Y PETHAU GWYLLT

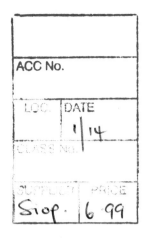

YNG NGWLAD Y PETHAU GWYLLT

STORI A LLUNIAU GAN MAURICE SENDAK

Trosiad gan Eleri Rogers

IDREF WEN

Y noson y gwisgodd Max fel blaidd a dechrau gwneud drygau

o bob math –

"PAID Â BOD MOR WYLLT!" gwaeddodd ei fam.
"MI WNA I DY FWYTA DI I GYD!" meddai Max,
felly gyrrwyd ef i'r gwely heb ddim bwyd.

Y noson honno yn stafell Max dyma goedwig yn tyfu

a thyfu –

a dal i dyfu nes cuddio'r nenfwd a throi'r
waliau yn fyd o goed o'i gwmpas.

Daeth cwch heibio ar donnau'r môr gerllaw,
cwch bach arbennig Max,
a hwyliodd draw drwy'r nos a'r dydd

heibio i'r wythnosau
a thros flwyddyn fwy neu lai
i wlad y pethau gwyllt.

A phan ddaeth i wlad y pethau gwyllt
dyma nhw'n dechrau rhuo'n gynddeiriog,

crensian eu dannedd dychrynllyd,
troi eu llygaid arswydus a chodi
crafangau cythreulig.

"TAWELWCH!" meddai Max
a'u dofi â'r hen dric
o syllu i fyw eu llygaid melyn

heb unwaith gau ei lygaid ei hun.
Roedd ofn arnynt.
"Ti yw'r gwylltaf ohonom i gyd," meddent

a dyma nhw'n ei goroni'n frenin arnynt.

"Ac yn awr," gorchmynnodd Max,
"bydded i'r Halibalŵ Byddarol ddechrau!"

"DIGON!" meddai Max a gyrrodd y pethau gwyllt
i'w gwelyau heb swper. Ond roedd Max,
brenin y pethau gwyllt, yn unig ac eisiau bod
gyda rhywun oedd yn ei garu ef yn fwy na neb.

Gyda hynny – o bell ar draws y byd –
clywodd aroglau bwyd bendigedig,
felly rhoddodd y gorau i fod yn frenin y pethau gwyllt.

Ond llefai'r pethau gwyllt,
"O na, paid â mynd – mi wnawn ni dy fwyta di i gyd –
rŷm ni'n dy garu di'n fwy na neb yn y byd!"
"Na!" meddai Max.

Rhuo'n gynddeiriog wnaeth y pethau gwyllt,
crensian eu dannedd dychrynllyd, troi eu llygaid arswydus
a chodi crafangau cythreulig –
ond neidiodd Max i'w gwch bach a ffarwelio.

Hwyliodd yn ôl dros y flwyddyn,
heibio i'r wythnosau
ac am ddiwrnod cyfan

nes cyrraedd nos ei stafell ei hun
lle roedd ei swper yn aros amdano

a hwnnw'n boeth o hyd.

ISBN: 978-1-85596-98

www.drefwen.com IDREF WEN